Cynnwys

GRAMADEG

1. Beth ydy'r ffurfiau Cymraeg am y canlynol?

> **?** 25%
>
> ✔ dau ddeg pump y cant / pump ar hugain y cant

   i) 25%

  ii) 50%

 iii) 75%

 iv) 10%

  v) 20%

 vi) 100%

 vii) $\frac{1}{2}$

viii) $\frac{1}{4}$

 ix) $\frac{3}{4}$

  x) the whole document

 xi) none at all

 xii) half and half

xiii) a little

xiv) very little

 xv) not much

xvi) half the form

xvii) every one

xviii) a quarter of the document

 xix) three quarters of the document

 xx) 50% of the documents

2. Defnyddiwch 10 o'r ffurfiau ar dudalen 2 mewn brawddegau.

e.e. Mae chwarter y gwaith yn ddwyieithog.

Mae dau ddeg y cant o'r daflen yn Gymraeg ac wyth deg y cant yn Saesneg.

Mae pob un yn ddwyieithog.

3. Troswch y brawddegau yma i Gymraeg.

? The leaflets are bilingual.

✔ Mae'r taflenni'n ddwyieithog.

i) The leaflets are bilingual.

ii) There are Welsh and English posters.

iii) There isn't much Welsh on these documents.

iv) The company uses a great deal of Welsh.

v) Everything is bilingual.

vi) 25% of their documents are bilingual.

vii) Half this document is in English and half is in Welsh.

viii) The company writes 25% of its documents in Welsh and 75% in English.

ix) A quarter of the poster is in Welsh.

x) They use Welsh and English in all their documents.

Gofyn Cwestiynau

Y prif lfy
tud. 26

---

1. Ysgrifennwch nifer o gwestiynau i weld sut mae sefydliadau'n defnyddio Cymraeg yn y gwaith. Defnyddiwch y geiriau canlynol.

> **?** Oes ...?
>
> ✔ Oes gennych chi bolisi iaith?

  i) Oes ...?
 ii) Ydy ...?
iii) Ydych chi'n ...?
 iv) Wnewch chi ...? neu Allwch chi ...?
  v) Ga i ...?
 vi) Beth ...?
vii) Faint ...?
viii) Pam ...?
 ix) Sut ...?
  x) Pwy ...?

Y prif ly
tud. 29

Ar ôl i chi orffen, ewch i dudalen 29 yn y prif lyfr.
Mae rhestr o gwestiynau posibl yno.
Ydy'ch cwestiynau chi ar y rhestr?

---

2. Chwarae rôl

Gofynnwch y cwestiynau i aelodau o'r grŵp.
Nodwch eu hatebion ar ddarn o bapur.
Ydyn nhw'n ateb yn gywir?

3. Ysgrifennwch lythyr at gwmni arbennig yn gofyn faint o Gymraeg a faint o Saesneg mae'r cwmni'n ei ddefnyddio yn y gwaith.

Y prif lyfr, tt. 75–8

Cyn dechrau:

- Cynlluniwch eich llythyr.
- Gwnewch restr o'r cwestiynau rydych chi'n mynd i'w gofyn.

Cofiwch osod eich llythyr yn iawn.

Anfonwch y llythyr i'r cwmni.

4. Dyma'r atebion, ond beth ydy'r cwestiynau? Meddyliwch am gwestiynau i fynd gyda'r atebion yma.

✔ Cwestiwn	Ateb
Oes llawer o bobl yn siarad Cymraeg?	Oes, mae llawer o bobl yn siarad Cymraeg.

Cwestiwn	Ateb
i)	Oes, mae llawer o bobl yn siarad Cymraeg yma.
ii)	Nac oes, does neb yn dysgu Cymraeg.
iii)	Ydy, mae'r derbynnydd yn siarad Cymraeg a Saesneg.
iv)	Do, ysgrifennais i a ffoniais i.
v)	Tua chwech, dw i'n meddwl.
vi)	Ydyn, maen nhw'n ateb llythyrau yn Gymraeg ac yn Saesneg.
vii)	Siaradais i â Mrs Jones, y rheolwraig.
viii)	Ydy.
ix)	Weithiau.
x)	Wna i, wrth gwrs.

1. Ysgrifennwch y ffurfiau cywir yn y bylchau.

> **?** Mae llythyr yn **cael** ei . . . (darllen)
>
> ✔ Mae llythyr yn **cael** ei . . . ddarllen.

    i) Mae llythyr yn cael ei . . . (darllen)
   ii) Mae dogfennau'n cael eu . . . (trosi)
  iii) Mae'r ddogfen yn cael ei . . . (trosi)
   iv) Mae'r staff yn cael eu . . . (dysgu)
    v) Roedd llawer o bosteri'n cael eu . . . (dangos)
   vi) Roedd arwydd dwyieithog yn cael ei . . . (dangos)
  vii) Cafodd y daflen ei . . . (dangos)
 viii) Pa lun gafodd ei . . . (dewis) i'r daflen?
   ix) Mae'r llythyrau'n cael eu . . . (darllen) bob dydd.
    x) Bydd y daflen yn cael ei . . . (cyhoeddi) yfory.

cyhoeddi	*to publish*

2. Defnyddiwch ffurfiau **cael** i drosi'r brawddegau yma.

> **?** The letters are read every day.
>
> ✔ Mae'r llythyrau'n cael eu darllen bob dydd.

    i) The letters are read every day.
   ii) Welsh is used in the office.
  iii) Welsh and English are used in the company.
   iv) The posters were published yesterday.
    v) The company was advertised on the television.
   vi) The letters were being typed last night.
  vii) A questionnaire was sent to the boss.
 viii) A questionnaire will be sent to the boss.

hyfforddi	*to train*

   ix) The staff will be trained.
    x) The documents will be published.

7

? cyhoeddi

✔ cyhoeddir

i) cyhoeddi
ii) dangos
iii) hyfforddi
iv) darllen
v) anfon
vi) cynghori
vii) gweld
viii) credu
ix) penderfynu
x) edrych
xi) trefnu
xii) defnyddio
xiii) siarad
xiv) ateb
xv) hysbysebu
xvi) arddangos
xvii) cael
xviii) ysgrifennu
xix) trosi
xx) clywed

cynghori	*to advise*
credu	*to believe*
penderfynu	*to decide*
hysbysebu	*to advertise*
arddangos	*to display*

> **?** defnyddir
> ✔ Defnyddir Cymraeg a Saesneg yn y dogfennau.
> ✔ Welsh and English are used in the documents.

5. Defnyddiwch ffurfiau presennol yr amhersonol i drosi'r brawddegau yma.

> **?** The letters are read.
> ✔ Darllenir y llythyrau.

i) The letters are read.

ii) Welsh is used in the office

iii) Welsh and English are used in the company.

iv) The posters are published today.

v) The company is advertised on the television.

vi) The letters are being typed.

vii) A questionnaire is sent to all our customers.

viii) A questionnaire will be sent to the boss.

ix) The staff will be trained.

hyfforddi	*to train*

x) The documents will be published.

xi) All documents are written in Welsh and English.

xii) All documents are sent out in Welsh and English.

xiii) All letters are answered bilingually.

xiv) All posters are displayed bilingually.

xv) Bilingual posters are to be seen in the building.

xvi) Bilingual letters are sent.

xvii) Welsh is taught to members of staff.

xviii) Welsh and English are used in the office.

xix) Welsh and English are spoken in the reception.

xx) English documents are translated into Welsh.

6. Beth ydy ffurfiau gorffennol yr amhersonol?

> **?** cyhoeddi
> **✔** cyhoeddwyd

    i) cyhoeddi
   ii) dangos
  iii) hyfforddi
   iv) darllen
    v) anfon
   vi) cynghori
  vii) gweld
 viii) trosi
   ix) penderfynu
    x) edrych
   xi) trefnu
  xii) defnyddio
 xiii) siarad
  xiv) ateb
   xv) hysbysebu
  xvi) arddangos
 xvii) cael
xviii) ysgrifennu
  xix) cyfieithu
   xx) clywed

| hysbysebu | *to advertise* |
| arddangos | *to display* |

7. Defnyddiwch y ffurfiau yma mewn brawddegau Cymraeg.
Yna, troswch y brawddegau i Saesneg.

> **?** cyhoeddwyd
> **✔** Cyhoeddwyd taflenni dwyieithog.
> **✔** Bilingual leaflets were published.

8. Newidiwch y brawddegau canlynol i'r amhersonol.

> **?** Gofynnon nhw am adroddiad.
> **✔** Gofynnwyd am adroddiad.

  i) Gofynnon nhw am adroddiad.
 ii) Ysgrifennon nhw adroddiad.
iii) Edrychon nhw ar y polisi.
 iv) Darllenon nhw'r taflenni.
  v) Anfonon nhw holiaduron.
 vi) Ffonion nhw'r cwsmeriaid.
vii) Defnyddion nhw'r wybodaeth yn yr adroddiad.
viii) Gwelon nhw fod rhaid gwella'r dogfennau.
 ix) Penderfynon nhw ysgrifennu polisi newydd.
  x) Dywedon nhw wrth y staff am y polisi newydd.

9. Defnyddiwch ffurfiau gorffennol yr amhersonol i drosi'r brawddegau yma.

> **?** The letters were read.
> **✔** Darllenwyd y llythyrau.

  i) The letters were read.
 ii) Welsh was used in the office.
iii) Welsh and English were used in the company.
 iv) The posters were published yesterday.
  v) The company was advertised on the television.
 vi) The letters were written.
vii) A questionnaire was sent to the people.
viii) The phone was answered by bilingual staff.
 ix) The staff were trained well.
  x) The documents were published yesterday.

Y Cymal Enwol Y prif ly
tud. 42

1. Beth ydy'r geiriau Cymraeg?

? to show
✔ dangos

i) to show
ii) to say
iii) to believe
iv) to think
v) to see
vi) to prove
vii) to agree
viii) to mention
ix) to allege
x) to hear

2. Beth ydy'r geiriau Cymraeg?

? to show that
✔ dangos bod *neu* dangos fod

i) to show that
ii) to say that
iii) to believe that
iv) to think that
v) to see that
vi) to prove that
vii) to agree that
viii) to mention that
ix) to allege that
x) to hear that

3. Troswch y brawddegau yma i Gymraeg.

> **?** The letter shows that the company uses Welsh often.
>
> ✔ Mae'r llythyr yn dangos bod y cwmni'n defnyddio Cymraeg yn aml.

i) The letter shows that the company uses Welsh a great deal.

ii) The leaflet shows that the workers learn Welsh at work.

iii) This company believes that using two languages is important.

iv) The workers think that speaking Welsh is useful.

v) The letter proves that things are improving.

vi) Many people think that speaking Welsh and English is a good idea.

vii) Some people believed that speaking Welsh was difficult.

viii) These people can see that Welsh is very useful now.

ix) The manager says that the customers are very happy.

x) The policy says that everyone can speak Welsh or English at work.

4. Gwnewch frawddegau allan o'r canlynol. Defnyddiwch yr amser presennol.

?	gweithwyr	credu	hyn yn bwysig

✔ Mae'r gweithwyr yn credu bod hyn yn bwysig.

i)	y gweithwyr	credu	hyn yn bwysig
ii)	rheolwr	dweud	llawer yn digwydd
iii)	y llythyrau	awgrymu	angen mwy o siaradwyr Cymraeg
iv)	posteri	dangos	y cwmni'n defnyddio Cymraeg a Saesneg
v)	derbynnydd	honni	rhai pobl eisiau siarad Cymraeg
vi)	Mr Prys	dweud	y cwmni'n gwneud ei orau
vii)	Mrs Smith, y rheolwraig,	dangos	gan y cwmni bolisi iaith polisi iaith gyda'r cwmni
viii)	y polisi iaith	pwysleisio	y cwmni'n cyflogi pobl ddwyieithog os yn bosibl
ix)	y cwmni newydd	honni	angen llawer o bobl yr ardal i weithio yno
x)	y teledu	dangos	y ffatri yn un dda iawn

Pwy	Beth
? Mr Samuel Jones	"Mae pethau'n gwella"
✔ Dywedodd Mr Jones fod pethau'n gwella.	
✔ Mae Mr Jones yn credu bod pethau'n gwella.	

	Pwy	**Beth**
i)	Mr Samuel Jones	"Mae pethau'n gwella."
ii)	Mrs Smith	"Mae dysgu Cymraeg yn bwysig."
iii)	y gweithwyr	"Rydyn ni eisiau dysgu Cymraeg."
iv)	y rheolwr	"Rydyn ni'n cynnig gwersi Cymraeg i'r staff."
v)	y tiwtor Cymraeg	"Maen nhw'n dod ymlaen yn dda."
vi)	y teledu	"Mae ffatri newydd yn mynd i agor yn yr ardal."
vii)	rheolwr y ffatri newydd	"Mae gwaith yma i lawer o bobl yr ardal."
viii)	pobl leol	"Rydyn ni'n hapus iawn i glywed hyn."
ix)	y cyngor lleol	"Rhaid i ni edrych ar ffyrdd o ddatblygu'r Gymraeg."
x)	siopwr lleol	"Mae hwn yn newyddion da."

1. Sut byddech chi'n dweud y brawddegau canlynol?

> **?** Yr ydym yn croesawu llythyrau Cymraeg.
>
> ✔ Rydyn ni'n croesawu llythyrau Cymraeg.

   i) Yr ydym yn croesawu llythyrau Cymraeg.

   ii) Yr ydym yn ateb y ffôn yn Gymraeg ac yn Saesneg.

  iii) Yr ydym yn ysgrifennu taflenni dwyieithog.

  iv) Yr ydym yn siarad Cymraeg a Saesneg yn y dderbynfa.

   v) Yr ydym yn dangos arwydd 'Iaith Gwaith' yn y dderbynfa.

  vi) Yr ydych yn gweithio yn Gymraeg ac yn Saesneg.

 vii) Yr ydych yn ateb y ffôn yn ddwyieithog.

viii) Maent yn ysgrifennu atom.

  ix) Maent yn ffonio yn Gymraeg.

   x) Maent yn ysgrifennu Cymraeg a Saesneg yn dda.

  xi) Anfonodd lythyr dwyieithog atom.

 xii) Maent yn mynd i anfon posteri dwyieithog atom.

xiii) Yr ydym yn ysgrifennu ato.

xiv) Yr ydym yn mynd i ysgrifennu atynt heddiw.

 xv) Cofiwch anfon llythyr dwyieithog atynt.

Yn + Treiglad Meddal

Y prif lyfr, tt. 61–4

1. Treiglwch y gair mewn cromfachau.

> **?** Mae'r ardal yn (prysur) iawn.
>
> ✔ Mae'r ardal yn **b**rysur iawn.

i) Mae'r ardal yn (prysur) iawn.

ii) Mae'r ardal yn (prydferth).

iii) Dydy'r ffatri ddim yn (mawr) iawn.

iv) Dydy'r ystad ddiwydiannol ddim yn (bach).

v) Mae'r adeiladau'n (pwrpasol) iawn.

vi) Mae'r unedau'n (glân).

vii) Mae'r ffyrdd yn (cyfleus).

viii) Dydy'r maes awyr ddim yn (pell i ffwrdd).

ix) Mae pobl y dref yn (cyfeillgar).

x) Mae'r tai yn (modern).

pwrpasol	*purpose-built*
cyfleus	*convenient*
cyfeillgar	*friendly*

2. Treiglwch y gair mewn cromfachau - os oes angen.

> **?** Mae'r cwmni'n (da).
>
> ✔ Mae'r cwmni'n dda.
>
> **?** Mae'r cwmni'n (dod) o Dde Cymru.
>
> ✔ Mae'r cwmni'n dod o Dde Cymru.

i) Mae'r cwmni'n (da).

ii) Mae'r cwmni'n (dod) o Dde Cymru.

iii) Mae'r rheolwr yn (gweithgar).

iv) Mae'r staff yn gweithio'n (caled).

v) Mae'r unedau bach yn (drud).

vi) Mae'r unedau mawr yn (rhad).

vii) Mae cyngor yn (rhoi) llawer o help.

viii) Mae'r cyngor yn (denu) busnes.

ix) Mae'r ardal yn (deniadol) iawn.

x) Mae llawer o gwmnïau yn (canmol) yr ardal.

gweithgar	*hardworking*
deniadol	*attractive*
canmol	*to praise*

1. Beth ydy'r ffurfiau gorchmynnol? Defnyddiwch y ffurfiau chi yn unig.

? dod
✔ dewch

- i) dod
- ii) mynd
- iii) edrych
- iv) meddwl
- v) ysgrifennu
- vi) cysylltu
- vii) anfon e-bost
- viii) gofyn
- ix) symud
- x) mwynhau

2. Defnyddiwch y ffurfiau yma mewn brawddegau.

? dewch
✔ Dewch i weld.

3. Troswch y brawddegau yma.

> **?** Write to Mr Smith for more details.
> **✔** Ysgrifennwch at Mr Smith am fwy o fanylion.

   i) Write to Mr Smith for more details.

  ii) Please contact the manager during office hours.

 iii) If you would like more information, please phone this number.

 iv) If you are interested, please contact Mr J. Jones.

   v) Move to South Wales - now!

 vi) Come and see for yourself.

 vii) Rent a unit here and watch your business grow.

viii) Want to move to a beautiful area? Consider North Wales - the place to be!

 ix) Fancy a change? Dial 0900 362 356.

  x) Is your business growing quickly? Then rent one of our brand new units. Come and visit us on the new business park!

SGILIAU LLAFAR

1. Mewn cyflwyniad, mae'n bwysig siarad â'r gynulleidfa. Ysgrifennwch orchmynion ar gyfer eich cynulleidfa. Cofiwch fod yn gwrtais, e.e. defnyddiwch os gwelwch yn dda.

? dod i mewn

✔ Dewch i mewn.

? troi

✔ Trowch i dudalen 6 os gwelwch yn dda.

    i) dod i mewn

   ii) dod i'r tu blaen

  iii) eistedd

   iv) troi

    v) edrych

   vi) gwrando

  vii) gofyn

 viii) rhannu

   ix) meddwl

    x) ystyried

2. Troswch y brawddegau yma i Gymraeg.

> **?** This afternoon, I'm going to talk about the Welsh language.
> **✔** Y prynhawn yma rydw i'n mynd i siarad am yr iaith Gymraeg.

    i) This afternoon, I'm going to talk about the Welsh language.

    ii) I would like to talk to you about James Brothers and how they use Welsh.

    iii) I have done a lot of research.

    iv) I sent questionnaires to the workers.

    v) They wrote their answers in Welsh or in English.

    vi) How does the company use Welsh?

    vii) The company makes good use of Welsh.

    viii) The workers learn Welsh at work.

    ix) The company doesn't use a great deal of Welsh.

    x) There are no bilingual posters.

    xi) They try and use Welsh when they meet the public.

    xii) Some workers wear special badges.

    xiii) There are special posters in the reception.

    xiv) The company is succeeding.

    xv) Out of the 10 members of staff, 5 speak Welsh and English.

    xvi) This is very good.

    xvii) Do you have any questions?

    xviii) Would anyone like to ask me a question?

    xix) Thank you for listening.

    xx) I hope that the presentation was interesting.

3. Defnyddiwch y geiriau yma gyda Wnewch chi ...?

> **?** dod i mewn
> **✔** Wnewch chi ddod i mewn?
> **?** troi
> **✔** Wnewch chi droi i dudalen 6 os gwelwch yn dda?

   i) dod i mewn
  ii) dod i'r tu blaen
 iii) eistedd
  iv) troi
   v) edrych
  vi) gwrando
 vii) gofyn
viii) rhannu
  ix) meddwl
   x) ystyried

4. Ysgrifennwch frawddegau i'ch helpu chi gyda'r cyflwyniad. Yna, dysgwch y brawddegau yma.

> **?** croeso
> **✔** Croeso i'r cyflwyniad yma.
> **?** dechrau da:
> **✔** Heddiw, rydw i'n mynd i siarad am fanteision defnyddio Cymraeg yn y gwaith.

   i) croeso
  ii) dechrau da
 iii) cyflwyno gwybodaeth
  iv) cyflwyno mwy o wybodaeth
   v) cyfeirio at daflen
  vi) cyfeirio at dryloywder
 vii) diwedd

viii) gwahodd y gynulleidfa i ofyn cwestiynau

  ix) ateb cwestiwn pan dydych chi ddim yn siŵr o'r ateb

  x) diolch i'r gynulleidfa

5. Atebwch y cwestiynau yma.

? Aethoch chi i ymweld â'r cwmni?

✔ Do, es i i ymweld â'r cwmni sawl gwaith.
Naddo, ond siaradais â'r pennaeth ar y ffôn sawl gwaith a...

  i) Aethoch chi i ymweld â'r cwmni?

  ii) Sut cawsoch chi eich gwybodaeth chi?

  iii) Ysgrifennoch chi at y pennaeth?

  iv) Ffonioch chi'r cwmni?

  v) Faint o staff sy'n siarad Cymraeg?

  vi) Ym mha iaith maen nhw'n ateb y ffôn?

  vii) Ydy hyn yn syniad da?

  viii) Beth maen nhw'n ei feddwl am ddefnyddio Cymraeg a Saesneg yn y cwmni?

  ix) Oes ganddyn nhw bolisi iaith?

  x) Ydy'r cwmni'n un da, a pham rydych chi'n dweud hynny?

Gwneud Fideo

1. Paratowch frawddegau i'ch helpu chi i gyflwyno rhywun ar y fideo.

? Person 1
Dyma . . . . . .
Gwaith:
Dyletswyddau:

✔ Dyma: Dyma Mrs Samantha Pryce.
  Gwaith: Mae hi'n gweithio yn y Ganolfan Arddio ar yr ystad ddiwydiannol
  Dyletswydd: Hi ydy'r rheolwraig ac mae hi'n edrych ar ôl y ganolfan. Mae ganddi hi 5 o staff yn gweithio iddi hi.

Person 1
Dyma . . . . . .
Gwaith:
Dyletswyddau:

dyletswydd,-au	*duty, duties*

Person 2
Dyma . . .
Pa fath o waith:
Ble:
Gwybodaeth arall:

Person 3
Dyma . . .
Dod o:
Gweithio yn:
Barn am yr ardal:

26

Person 4

Dyma ...

Gwybodaeth am y person:

Cwestiwn i'w ofyn i'r person yma:

2. Paratowch gwestiynau i'w gofyn i rywun ar y fideo.

> **?** Ers pryd ...?
> ✔ Ers pryd rydych chi'n gweithio yma?

   i) Ers pryd ...?

   ii) Pa fath ...?

  iii) Beth yn union ...?

   iv) Beth ydy'ch barn chi am ...?

    v) Ydych chi'n ...?

   vi) Hoffech chi ...?

  vii) Pam ...?

 viii) Oes ...?

   ix) Ble ...?

    x) Sut ...?

3. Defnyddiwch y geiriau yma mewn brawddegau i ddisgrifio'ch ardal chi.

> **?** ardal
>
> ✔ Mae'r ardal yma'n dda iawn ar gyfer cwmnïau a busnesau o bob math.

- i) ardal
- ii) cyfleus
- iii) milltir
- iv) agos
- v) munud
- vi) ystad ddiwydiannol / parc busnes
- vii) unedau
- viii) ysgol
- ix) tai
- x) pobl

SGILIAU YSGRIFENNU

1. Darllenwch yr adroddiad canlynol. Yna, ysgrifennwch yr argymhellion.

dwyieithrwydd	*bilingualism*	cylchlythyr	*newsletter*
awdurdod	*authority*	hyfforddiant	*training*
yn gyfartal	*equally*	gwneud ymdrech	*to make an effort*
cynnal	*to hold (a meeting)*	canmol	*to praise*
er	*although*		

**Adroddiad ar y Defnydd o'r Gymraeg yn
Ysgol Uwchradd Abermawr
J. Price, Swyddog Dwyieithrwydd
21 Mai 2002**

Cyflwyniad

Pwrpas yr adroddiad yma ydy edrych ar sut mae Cymraeg a Saesneg
yn cael eu defnyddio yn Ysgol Uwchradd Abermawr.

Chwilio am wybodaeth
Er mwyn cael y wybodaeth:

- aeth dau o swyddogion yr Awdurdod i ymweld â'r ysgol

- cynhaliwyd cyfarfod gyda'r Pennaeth

- siaradwyd â'r disgyblion

- anfonwyd holiadur at y rhieni

- edrychwyd ar brospectws a chylchlythyr yr ysgol

- ffoniwyd yr ysgol i weld ym mha iaith roedd y ffôn yn cael ei
ateb

Y Canfyddiadau

- Yn ôl y ddau swyddog, doedd hi ddim yn bosibl gweld llawer o Gymraeg o gwmpas y dderbynfa. Roedd arwydd **Croeso** ar y drws, ond roedd pob arwydd arall yn Saesneg. Doedd neb yn y dderbynfa yn siarad Cymraeg (er bod dwy ysgrifenyddes yn gallu siarad ac ysgrifennu Cymraeg). Mae polisi iaith yr Awdurdod yn dweud yn glir bod rhaid cael arwyddion a phosteri dwyieithog yn yr ysgol.

- Doedd dim llawer o bosteri dwyieithog yn y coridorau ac yn yr ystafelloedd dysgu, ond roedd yr adran Gymraeg wedi rhoi posteri dwyieithog ar y waliau yn eu coridor nhw ac roedd eu hystafelloedd nhw yn llawn o bosteri dwyieithog a phosteri Cymraeg.

- Arhosodd un o'r swyddogion yn ystafell yr ysgrifenyddesau am tua 2 awr. Roedd y Cymry yn ateb y ffôn yn ddwyieithog, ond roedd y ddwy ysgrifenyddes arall yn ateb y ffôn yn Saesneg yn unig. Roedd un o'r ysgrifenyddesau yn trosi llythyrau ond roedd ganddi hi lawer iawn o waith. Dydy'r ysgrifenyddes yma ddim wedi cael unrhyw hyfforddiant mewn trosi.

- Mae llawer iawn o'r disgyblion yn dysgu Cymraeg ac maen nhw eisiau gweld mwy o Gymraeg o gwmpas y lle. Hefyd, maen nhw eisiau cael clwb Cymraeg amser cinio - mae llawer o glybiau eraill yno - ond does dim un Cymraeg.

- Roedd rhai o'r rhieni eisiau gweld mwy o Gymraeg yn yr ysgol - roedd rhieni eraill yn hapus. Roedd rhai'n dweud bod llythyrau yn eu cyrraedd nhw yn Saesneg ac yn Gymraeg ond bod y llythyrau Cymraeg, fel arfer, yn hwyr - tua wythnos ar ôl y rhai Saesneg. Roedd llawer o gamgymeriadau yn y fersiynau Cymraeg.

- Does dim llawer o staff yr ysgol yn siarad Cymraeg.

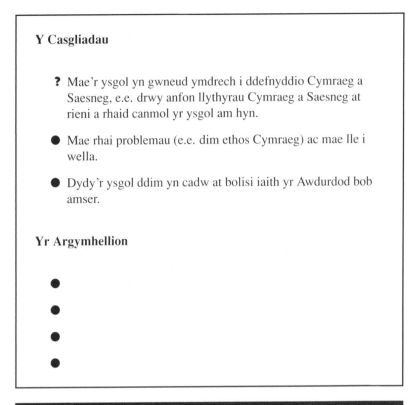

Y Casgliadau

? Mae'r ysgol yn gwneud ymdrech i ddefnyddio Cymraeg a Saesneg, e.e. drwy anfon llythyrau Cymraeg a Saesneg at rieni a rhaid canmol yr ysgol am hyn.

● Mae rhai problemau (e.e. dim ethos Cymraeg) ac mae lle i wella.

● Dydy'r ysgol ddim yn cadw at bolisi iaith yr Awdurdod bob amser.

Yr Argymhellion

●

●

●

●

2. Darllenwch y llythyr canlynol.

Newidiwch y llythyr yn adroddiad.

Cofiwch . . .

● penawdau

● pwyntiau bwled neu rifau

● arddull addas

● digon o wyn ar y papur

trin	to treat	cartrefol	homely
derbynnydd	receptionist	gwlad, gwledydd	country, countries
bywyd	life	trwydded	licence
llyfryn,-nau	booklet,-s	hyfforddiant	training
cyfle	opportunity	rheolaidd	regular
yn fanwl	in detail	ymholiad,-au	enquiry, enquiries

Image is All
Stryd y Bont
Llanrhystud

2il Tachwedd 2002

Y Pennaeth
Cwmni Teithio Pob Man
Stryd Fawr
Aberarth

Annwyl Bennaeth

Diolch am eich llythyr yn gofyn i fi edrych ar eich cwmni chi, i weld ydy hi'n bosibl gwella'r gwasanaeth rydych chi'n ei gynnig i gwsmeriaid, ac yn bwysicach i weld ydyn ni'n gallu creu darlun mwy positif o'ch cwmni chi.

Fel arfer rydw i'n mynd i mewn i swyddfeydd a siopau heb ddweud pwy ydw i. Felly, mae'r staff yn fy nhrin i fel pawb arall - ac rydw i'n gallu gweld sut mae'r cwmni'n trin cwsmeriaid fel arfer. Dyna wnes i yn eich siop chi a gofynnais i'r cwestiynau arferol.

Ar ôl mynd i mewn i'r siop, eisteddais i mewn cadair galed wrth ymyl y ffenest achos roedd llawer o bobl yn aros i siarad â'r derbynnydd. Roedd hwn yn gyfle da i edrych yn fanwl ar y siop. Roedd llawer o bosteri ar y wal, ac roedd y lle'n eitha lliwgar, ond doedd dim llawer o fywyd yn y swyddfa. Roedd rhaid i fi aros am 10 munud achos roedd y derbynnydd yn brysur iawn. Felly, es i i edrych ar y llyfrynnau gwyliau ar y silffoedd. Roedd rhai o'r rhain yn sôn am wyliau'r haf eleni - ac roedd hi'n fis Tachwedd erbyn hyn!

Yna, pan ges i gyfle i siarad â rhywun, doedd y person yna ddim yn gallu siarad Cymraeg, ac roeddwn i eisiau siarad Cymraeg. Ar ôl gofyn, ces i wybod bod yr aelod o staff sy'n delio gydag ymholiadau Cymraeg yn cael ei ginio, a bod y Gymraes arall ar ei gwyliau.

Dechreuais i siarad Saesneg, felly. Gofynnais i lawer o gwestiynau am wyliau Nadolig yn Awstria - yn arbennig, roeddwn i eisiau gwybod am y ffair Nadolig yn Salzburg. Doedd y ferch ddim yn gwybod unrhyw beth am y ffair - ac erbyn hyn roedd ciw y tu ôl i fi. Felly, rhoiodd hi lyfryn i fi ar Awstria a dywedodd hi wrtho i am ddod yn ôl ar ôl darllen y llyfryn.

Fel, rydych chi'n gweld, felly, mae angen gwella'r gwasanaeth - a'r siop! Rhaid i chi wneud y lle yn fwy cartrefol a bywiog. Beth am gael miwisg o wahanol wledydd yn y cefndir (ond cofiwch fod angen trwydded arbennig i chwarae miwsig mewn siop!). Mae angen mwy o staff arnoch chi, rydw i'n meddwl - ac yn enwedig staff sy'n gallu siarad Cymraeg a rhaid i chi wneud yn siŵr bod rhywun sy'n gallu siarad Cymraeg yn y siop bob amser. Hefyd, rhaid i chi wneud yn siŵr bod eich staff chi'n gwybod am wahanol fathau o wyliau - h.y. bod eich staff chi'n cael hyfforddiant yn rheolaidd. Ac mae dangos hen lyfrynnau gwyliau yn ofnadwy! Rhaid i'ch stoc chi edrych ymlaen nid edrych yn ôl.

Os ydych chi eisiau mwy o wybodaeth, croeso i chi fy ffonio i.

Yn gywir,

M. Prys
(Rheolwr)

O.N. Ydych chi wedi ystyried newid enw eich cwmni chi?

Dogfen Ymgynghorol

Y prif lyfr, tt. 107–115

1. Troswch y darn yma i Gymraeg.

cadw at	*to keep to / to adhere to*	effeithiol	*effective*
llwyddo	*to succeed*	ofni	*to fear*

Some companies make very good use of Welsh. They have sound language policies and they keep to them. They succeed in using Welsh and English when speaking with customers and when writing letters and other documents for the public. Other companies do not use Welsh as effectively.

There are many reasons for this. Some companies fear that developing the use of Welsh at work is expensive. Others fear that developing the use of Welsh is difficult.

However, the following ideas will help your company to develop the use of Welsh.

Y prif lyfr, tud. 108

2. Darllenwch y darn ar y Dril Tân yn y prif lyfr. Atebwch y cwestiynau yma.

i) Beth oedd y ddwy broblem yn ystod y Dril Tân?

ii) Sut mae Opsiwn 1 yn mynd i wella'r ddwy broblem yma?

iii) Sut mae Opsiwn 2 yn mynd i wella'r ddwy broblem yma?

iv) Pa opsiwn ydy'r un gorau yn eich barn chi a pham?

3. Darllenwch y llythyr yn y prif lyfr. Beth rydych chi'n feddwl am wasanaeth dwyieithog y cwmni? Nodwch y pwyntiau da a'r pwyntiau gwael.

Pwyntiau da	Pwyntiau gwael

Beth ydy'r cyngor mae F. Smith yn ei roi?
Pa fath o gyngor arall fyddech chi'n ei roi?

4. Yr amodol - llenwch y bylchau gyda'r ffurfiau cywir.

? . . . . ateb y ffôn yn ddwyieithog yn syniad da.

✔ Basai / Byddai ateb y ffôn yn ddwyieithog yn syniad da.

   i) . . . . ateb y ffôn yn ddwyieithog yn syniad da.

  ii) . . . . chi'n gallu cynnig gwersi Cymraeg i'r staff.

 iii) . . . . nhw'n dysgu llawer.

 iv) . . . . 'r coleg yn gallu helpu.

  v) . . . . i'n meddwl bod hyn yn syniad da.

 vi) . . . . chi'n ennill llawer o gwsmeriaid.

vii) . . . . llawer o bobl yn dod i siopa yma.

viii) . . . . posteri dwyieithog yn dda.

 ix) . . . . nhw'n ddeniadol iawn.

  x) . . . . chi yn llyfryn Bwrdd yr Iaith efallai.

5. Troswch y brawddegau yma i Gymraeg.

> **?** Answering the phone in Welsh and English would be a good idea.
> **✔** Basai ateb y ffôn yn Gymraeg a Saesneg yn syniad da.
> Byddai ateb y ffôn yn Gymraeg a Saesneg yn syniad da.

    i) Answering the phone in Welsh and English would be a good idea.

   ii) Writing bilingual letters would also be a good idea.

  iii) Some members of staff would like to learn Welsh.

  iv) Local people would apply for jobs here.

   v) Local people would do their business here.

  vi) Greeting people in Welsh and English would be good.

 vii) Many people would like bilingual leaflets.

viii) You would gain many new customers.

  ix) You would create a good impression.

   x) Business would increase.

  xi) Would it be possible to have an answer in Welsh please?

 xii) Would you publish this in Welsh and English?

xiii) Would you like to increase your business?

xiv) Would you like to have more customers?

 xv) Would you agree that this is a good idea?

xvi) Would you like to sell more?

xvii) Would local people do their business here? Of course!

xviii) This wouldn't cost very much.

 xix) This wouldn't be a lot of work.

  xx) This wouldn't be difficult.

6. Defnyddiwch Gallech chi i ysgrifennu 5 darn o gyngor ar gyfer datblygu'r defnydd o Gymraeg mewn cwmni neu sefydliad arbennig.

Gallech chi gyflogi rhywun sy'n siarad Cymraeg.

7. Defnyddiwch Dylech chi i ysgrifennu 5 darn o gyngor ar gyfer datblygu'r defnydd o Gymraeg mewn cwmni neu sefydliad arbennig.

Dylech chi ateb llythyr Cymraeg yn Gymraeg.

SGILIAU ARHOLIAD

Siarad mewn grŵp

y prif ly
tt. 128-

---

1. Paratowch gwestiynau ar gyfer y drafodaeth grŵp. Ysgrifennwch gwestiynau sy'n defnyddio'r geiriau yma.

? Pam …

✔ Pam rydych chi'n dweud hynny?

- i) Pam …?
- ii) Beth …?
- iii) Ydych chi…? / Wyt ti …?
- iv) Wnewch chi …? / Wnei di …?
- v) Allech chi …? / Allet ti …?
- vi) meddwl
- vii) credu
- viii) cytuno
- ix) barn
- x) amdanoch /amdanat

2. Ysgrifennwch - a dysgwch - sylwadau i'w gwneud yn ystod y gwaith grŵp. Defnyddiwch y geiriau yma yn eich sylwadau.

? cytuno

✔ Rydw i'n cytuno â chi.

- i) cytuno
- ii) cytuno'n llwyr
- iii) cytuno o gwbl
- iv) anghytuno
- v) anghytuno'n llwyr
- vi) meddwl

vii) credu

viii) yn wir

ix) yn bwysig

x) yn siŵr

3. Troswch y brawddegau yma i Gymraeg.

? May I speak please?

✔ Ga i siarad os gwelwch yn dda?

i) May I speak please?

ii) I would like to say something.

iii) I would like to raise a point please.

iv) May I say something?

v) I disagree.

vi) Would you like to say something?

vii) What do you think?

viii) What is your opinion on this matter?

ix) How do you feel?

x) That's not true.

1. Darllenwch yr erthygl yma.

Gwyliau a gwaith

Mae digon o straeon am wyliau yn yr haul sy'n mynd o'i le. Ond dydy bywyd ddim yn fêl i'r reps chwaith, yn ôl un Gymraes sy wedi bod yn gwneud y gwaith …

Efallai bod y syniad o weithio fel *rep* i gwmni gwyliau mewn gwlad boeth yn swnio'n wych, ond nid dyna'r realiti, yn ôl un ferch o Fôn.

"Con ydy gweithio fel *rep, slave trade* lle ydach chi'n gweithio deunaw awr y dydd," meddai'n flin.

Fe aeth y ferch o Fôn i weithio fel cyswllt rhwng cwmni gwyliau a'r teithwyr yn yr Algarve ym Mhortiwgal. Dim ond chwe wythnos barodd hi. Chwe wythnos yn ormod, meddai.

"Dydy pobl ddim yn sylweddoli faint o waith ydy o. Rydach chi'n cael wythnos i weld be' ydach chi'n ei werthu, wedyn rydach chi'n cael eich taflu'n syth i'r *deep end* i weithio deunaw awr y dydd.

"Roedd y cyflog yn jôc, £300 y mis, ac mi oedd o'n cael ei dalu i'ch cyfri' banc chi yn ôl adra'. Oeddach chi'n gorfod gweithio mis *in hand*, a roedd y lle aros yn *crummy*."

Fe fyddai'r ferch yn treulio oriau bob dydd yn aros o gwmpas mewn maes awyr yn disgwyl am y llwyth diweddara' o ymwelwyr o wledydd Prydain. Ond wedyn roedd pobl yn dechrau meddwi …

"Roedd un hen ddyn wedi disgyn a malu'i wyneb yn rhacs mewn gwesty," meddai. "Es i ato fo yn yr ysbyty, ond doeddwn i heb gael unrhyw hyfforddiant mewn sut i ddelio efo'r peth.

"Mi oedd o wedi baglu ar ryw stepan, sy'n ddim syndod. Doedd lot o'r gwestai ddim yn cydymffurfio â'r *health and safety*," meddai.

Addasiad o erthygl yn y cylchgrawn Golwg, Cyf. 13 Rhif 35, Mai 10 2001

mynd o'i le	to go wrong	deunaw	eighteen
dydy … ddim yn fêl	… isn't all good	llwyth	load
	(lit. isn't all honey)	malu	to smash
cyswllt	contact person	baglu	to trip
parodd hi	she lasted	sy'n ddim syndod	which is no surprise
sylweddoli	to realise	cydymffurfio â	to comply with

Mae un o'ch ffrindiau chi'n meddwl gwneud cais am weithio fel *rep* yn Sbaen.
Mae'n ffonio i ofyn i chi am y gwaith.
Rhaid i chi roi gwybodaeth i'r person yma.

Rhaid i chi sôn am:

- y gwaith

- y cyflog a'r llety

- y gwestai

Hefyd, yn ystod y sgwrs rhaid i chi:

- roi eich barn am y gwaith.
  Cofiwch roi rhesymau i gefnogi eich barn.

Wrth baratoi ar gyfer ateb:

- Gwnewch nodiadau sy'n cynnwys y wybodaeth.

- Paratowch sut rydych chi'n mynd i roi'r wybodaeth.

- Beth am ymarfer gyda ffrind?

1. Troswch y brawddegau yma i Gymraeg.

> **?** My name is ... and I'm studying a ... course at ... school/college.
>
> **✔** Fy enw i ydy (John Smith) ac rydw i'n astudio cwrs (Cymraeg) yn (Ysgol Uwchradd Abermawr).

   i) My name is ... and I'm studying a ... course at ... school/college.

  ii) We are studying the use of Welsh in the work place.

 iii) I'm writing to ask for information about your company.

 iv) I have a number of questions.

  v) Do you have a bilingual policy?

 vi) How many members of staff speak or understand Welsh?

vii) Do you produce bilingual materials?

viii) Where can I obtain copies?

 ix) I would be grateful if you would send me any relevant information.

  x) Thank you in advance for your assistance.

2. Troswch y brawddegau yma i Gymraeg

   i) Thank you for the letter dated 9 August, asking for information about the centre.

  ii) Please find enclosed two leaflets about the centre.

 iii) In response to your letter ...

 iv) Read the website and you will gain more information.

  v) The centre produces a great deal of bilingual material.

 vi) We are open every day of the year apart from Christmas Day.

vii) The bilingual exhibition is very popular.

viii) I hope this information is useful to you.

 ix) Please contact me again if you would like to know more.

  x) I look forward to hearing from you in the near future.

3. Troswch y darn yma. Os oes geiriau anodd - troswch yr ystyr.

A new cinema will be opening in the area at the end of June. The new six screen cinema will be located outside the town and will show a variety of block-busting movies.

For more information, watch the local press.

4. Troswch y cyfweliad yma gyda dyn busnes i Gymraeg.

Mr Robert Jones works at a local radio station.

Interviewer: What exactly do you do at Radio'r Fro?

Robert: I'm responsible for an hourly slot from five to six o'clock each evening.

Interviewer: Is it a Welsh programme?

Robert: Yes.

Interviewer: What kind of programme is it?

Robert: Music, interviews, quizzes, local news, advertisements, and we have a five minute slot for learners in each programme.

Interviewer: There's something for everyone then.

Robert: Hopefully.

5. Troswch yr astudiaeth achos yma i Gymraeg.

Mary Williams lives and works in the Aberaeron area. She moved here from Sheffield ten years ago following many happy summer holidays in the area when she was a child.

She has set up her own business in a village, 2 miles south of the town. In her craft centre, she makes and sells her own pottery and also sells other craft work by local craftspeople. During the summer, she employs two local young people to help out in the tea room which is part of the centre.

Mary believes that moving to Aberaeron was a very important step. "I thought about setting up my business in Sheffield," she says, "but I remembered Aberaeron - the beautiful coastline, the busy summers, the friendly people, and decided to move - and I haven't looked back!"

6. Troswch yr hysbyseb yma i Gymraeg.

Have you thought of setting up a business?
What kind of business?

Want some help?

Well, visit our website
`www.cymorthifusnes.com`

And then come and see us!

Contact Janet Watkins on 01973 564940

We're full of ideas!

North-East Wales - the place to be!

North-East Wales offers businesses huge opportunities:

- excellent roads to all parts of the UK

- rail service to London and Manchester

- 1 hour's drive from Manchester airport

- good, sound advice from local authorities

- grants form various projects

- a hard working workforce

- local colleges to provide training

- five universtities within an hour's drive

- support by local businesses and institutions

- good, affordable land

Many companies have moved here in the past and have been very successful.

If you would like more information, write to the address on the next page, or phone the number beneath the address.

North-East Wales - beautiful and convenient - an excellent area for business. Come and see for yourself!

gweithlu	*workforce*	darparu	*to provide*
prifysgol	*university*	affordable	*fforddiadwy*

● Copïwch y dudalen yma a chywirwch y camgymeriadau.

● Defnyddiwch bensil neu feiro coch i wneud y gwaith - er mwyn gwneud yn siŵr bod y cywiro'n glir iawn.

1. Cywirwch y camgymeriadau atalnodi. Mae 1 camgymeriad ym mhob brawddeg.

? "Dewch i mewn dywedodd y rheolwr.

✔ "Dewch i mewn," dywedodd y rheolwr.

   i) "Dewch i mewn dywedodd y rheolwr.

   ii) Ydych chi eisiau mwy o wybodaeth!

  iii) Rydw i'n mynd i gaerdydd yfory.

  iv) Beth ydy'r broblem? gofynnodd.

   v) Maer cwmni'n agor yfory.

  vi) Bydd y pwll nofio ar gau ddydd Sadwrn."

 vii) Roedd Mr Price (y rheolwr yn y cyfarfod.

viii) Hoffech chi ddod ar y cwrs - Hoffwn.

  ix) Dechreuodd weithio ddoe

   x) Ble mae'r ffatri.

2. Cywirwch y camgymeriadau sillafu. Mae 1 camgymeriad ym mhob brawddeg.

> **?** Roedd e'n gweithio yma am flywddyn
> **✔** Roedd e'n gweithio yma am fl**w**yddyn.

- i) Roedd e'n gweithio yma am flywddyn.
- ii) Maen nhw'n gnweud byrddau yn y ffatri.
- iii) Rydw i'n ysgrifennu atoch am y sywdd yn y papur newydd.
- iv) Mae'r dref yn y Gogoledd.
- v) Wyt ti eisiau dod i weithio yma ddydd Satwrn?
- vi) Mae'r gwaith yn anghwyir.
- vii) Maen nhw'n gweihtio'n galed iawn.
- viii) Ydych chi'n defnydido llawer o bapur?
- ix) Maen nhw esiau mynd i'r coleg ar ôl gadael yr ysgol.
- x) Mae cwnmi newydd yn symud i'r ardal.

3. Cywirwch y camgymeriadau gramadeg. Mae 1 camgymeriad ym mhob brawddeg.

> **?** Hoffwn i'n mynd i weithio yno
> **✔** Hoffwn **i fynd** i weithio yno.

- i) Hoffwn i'n mynd i weithio yno.
- ii) Ble ydy'r siop?
- iii) Mae nhw'n agor siop newydd yn y dre.
- iv) Oeddech chi yno? Oedd.
- v) Rydw i'n ysgrifennu at chi i ofyn am wybodaeth.
- vi) Diolch am llythyr chi.
- vii) Rydw in wedi ysgrifennu ato fe.
- viii) Pwy mae'n mynd?
- ix) Hoffwn i siarad ar chi.
- x) Mae'r erthygl yn sôn at y bobl yn y ffatri.

Sgwrs am yr ardal

Mae Mrs Williams, yr athrawes Gymraeg, Jane, Huw a Catherine yn cyfarfod i drafod gwneud fideo.
Maen nhw'n mynd i wneud fideo am yr ardal.
Pwrpas y fideo ydy denu busnes i'r ardal.

Dyma rai o'r syniadau maen nhw'n mynd i'w trafod.

Sgwrs am yr ardal: Syniadau

1. lleoliad
2. parciau busnes ac ati
3. pa fath o help sy ar gael
4. cyfleusterau ar gyfer pobl
5. beth nesaf

Gwrandewch ar y CD ac ysgrifennwch nodiadau am y cyfarfod ar y ffurflen ar y dudalen nesaf.

lleoliad	*location*	dodrefn	*furniture*
Caer	*Chester*	gallwn ni	*we can*
porthladd	*port*	cyngor	*council, advice*
maes awyr	*airport*	denu	*to attract*
Manceinion	*Manchester*	cynradd	*primary*
canolfan arddio	*garden centre*	uwchradd	*secondary*

Cyfarfod i drafod y fideo am yr ardal

Dyddiad: 10 Chwefror
Lleoliad: Yr ystafell Gymraeg
Yn bresennol: Mrs Williams, Jane Pryce, Huw Davies a Catherine Smith

1. **Lleoliad**

   _____ milltir o'r Rhyl

   _____ milltir o Wrecsam

   yn eitha agos i

   (i) _____

   (ii) _____

2. **Parc busnes ac ati**

   Enw _____

   Disgrifiad _____

   Mae'r grŵp yn mynd i _____

3. **Pa fath o help sy ar gael**

   Mae Mr Ellis yn mynd i_____

4. **Cyfleusterau**

   Tai _____

   Siopau _____

   Ysgolion _____

   Hamdden (i) _____

   (ii) _____

5. **Beth nesaf?**

   Maen nhw'n mynd i _____

Y Dril Tân

Mae Mr Jones, Swyddog Iechyd a Diogelwch mewn llyfrgell, yn cyfarfod gyda thri aelod o staff - John, Siân a Rhian - i siarad am iechyd a diogelwch yn y llyfrgell.

Cyfarfod Iechyd a Diogelwch
Ebrill 16

1. y dril tân

2. canfyddiadau

3. symud ymlaen

4. dyddiad a lleoliad y cyfarfod nesaf

Gwrandewch ar y CD ac ysgrifennwch nodiadau am y cyfarfod ar y ffurflen ar y dudalen nesaf.

canfyddiad,-au	*finding,-s*	y brif fynedfa	*the main entrance*
gadewch i ni	*let's*	drws cefn	*back door*
yn drefnus	*in an orderly manner*	trefniadau	*arrangements*

Cyfarfod i drafod Iechyd a Diogelwch

Dyddiad: 16 Ebrill
Lleoliad: Ystafell Mr Jones
Yn bresennol: Mr Jones, John Meredith, Siân Wilson, Rhian Evans

1. **Y dril tân**

   Problem 1: _____

   Problem 2: _____

2. **Canfyddiadau**

   Arwyddion: (i) _____

   (ii) _____

   (i) _____

   (ii) _____

3. **Symud ymlaen**

   Syniad (i) _____

   Gweithredu - pwy? _____

   Syniad (ii) _____

   Gweithredu - pwy? _____

   Syniad (iii) _____

   Gweithredu - pwy? _____

4. **Dyddiad a lleoliad y cyfarfod nesaf**

   Dyddiad: _____

   Amser: _____

   Lle: _____

ATEBION

Faint?

i)	dau ddeg pump y cant	pump ar hugain y cant
ii)	pum deg y cant	hanner cant y cant
iii)	saith deg pump y cant	
iv)	deg y cant	
v)	dau ddeg y cant	ugain y cant
vi)	cant y cant	
vii)	hanner	
viii)	chwarter	
ix)	tri chwarter	
x)	y ddogfen gyfan	y ddogfen i gyd
xi)	dim o gwbl	dim un o gwbl
xii)	hanner a hanner	
xiii)	ychydig	
xiv)	ychydig iawn	
xv)	dim llawer	
xvi)	hanner y ffurflen	
xvii)	pob un	pawb
xviii)	chwarter y ddogfen	
xix)	tri chwarter y ddogfen	
xx)	pum deg y cant o'r dogfennau	hanner cant y cant o'r dogfennau

Yr Amhersonol

Cwestiwn 1, tudalen 7

i) ddarllen
ii) trosi
iii) throsi
iv) dysgu
v) dangos
vi) ddangos
vii) dangos
viii) ddewis
ix) darllen
x) chyhoeddi

Cwestiwn 3, tudalen 8

i) cyhoeddir
ii) dangosir
iii) hyfforddir
iv) darllenir
v) anfonir
vi) cynghorir
vii) gwelir
viii) credir
ix) penderfynir
x) edrychir
xi) trefnir
xii) defnyddir
xiii) siaredir
xiv) atebir
xv) hysbysebir
xvi) arddangosir
xvii) ceir
xviii) ysgrifennir
xix) trosir
xx) clywir

i) cyhoeddwyd

ii) dangoswyd

iii) hyfforddwyd

iv) darllenwyd

v) anfonwyd

vi) cynghorwyd

vii) gwelwyd

viii) troswyd

ix) penderfynwyd

x) edrychwyd

xi) trefnwyd

xii) defnyddiwyd

xiii) siaradwyd

xiv) atebwyd

xv) hysbysebwyd

xvi) arddangoswyd

xvii) cafwyd

xviii) ysgrifennwyd

xix) cyfieithwyd

xx) clywyd

Y Cymal Enwol

Cwestiwn 1, tudalen 12

i) dangos

ii) dweud

iii) credu

iv) meddwl

v) gweld

vi) profi

vii) cytuno

viii) sôn

ix) honni

x) clywed

Cwestiwn 2, tudalen 12

i)	dangos bod	dangos fod
ii)	dweud bod	dweud fod
iii)	credu bod	credu fod
iv)	meddwl bod	meddwl fod
v)	gweld bod	gweld fod
vi)	profi bod	profi fod
vii)	cytuno bod	cytuno fod
viii)	sôn bod	sôn fod
ix)	honni bod	honni fod
x)	clywed bod	clywed fod

Yn + Treiglad Meddal

Cwestiwn 1, tudalen 17

i) brysur
ii) brydferth
iii) fawr
iv) fach
v) bwrpasol
vi) lân
vii) gyfleus
viii) bell
ix) gyfeillgar
x) fodern

Cwestiwn 2, tudalen 17

i) dda
ii) dod
iii) weithgar
iv) galed
v) ddrud
vi) rhad
vii) rhoi
viii) denu
ix) ddeniadol
x) canmol

Y Gorchmynnol

i)   dewch

ii)   ewch

iii)   edrychwch

iv)   meddyliwch

v)   ysgrifennwch

vi)   cysylltwch

vii)   anfonwch e-bost

viii)   gofynnwch

ix)   symudwch

x)   mwynhewch

SGILIAU YSGRIFENNU

Dogfen Ymgynghorol

Cwestiwn 4, tudalen 36

i) Basai
   Byddai

ii) Basech
   Byddech

iii) Basen
   Bydden

iv) Basai'r
   Byddai'r

v) Baswn
   Byddwn

vi) Basech
   Byddech

vii) Basai
   Byddai

viii) Basai
   Byddai

ix) Basen
   Bydden

x) Basech
   Byddech

SGILIAU ARHOLIAD

Prawfddarllen

i) "Dewch i mewn," dywedodd y rheolwr.

ii) Ydych chi eisiau mwy o wybodaeth?

iii) Rydw i'n mynd i Gaerdydd yfory.

iv) "Beth ydy'r broblem?" gofynnodd.

v) Mae'r cwmni'n agor yfory.

vi) Bydd y pwll nofio ar gau ddydd Sadwrn.

vii) Roedd Mr Price (y rheolwr) yn y cyfarfod.

viii) Hoffech chi ddod ar y cwrs? Hoffwn.

ix) Dechreuodd weithio ddoe.

x) Ble mae'r ffatri?

Cwestiwn 2, tudalen 49

i) Roedd e'n gweithio yma am flwyddyn.

ii) Maen nhw'n gwneud byrddau yn y ffatri.

iii) Rydw i'n ysgrifennu atoch am y swydd yn y papur newydd.

iv) Mae'r dref yn y Gogledd.

v) Wyt ti eisiau dod i weithio yma ddydd Sadwrn?

vi) Mae'r gwaith yn anghywir.

vii) Maen nhw'n gweithio'n galed iawn.

viii) Ydych chi'n defnyddio llawer o bapur?

ix) Maen nhw eisiau mynd i'r coleg ar ôl gadael yr ysgol.

x) Mae cwmni newydd yn symud i'r ardal.

   i)   Hoffwn i [ff]ynd i weithio yno.

   ii)   Ble [mae'r] siop?

  iii)   Mae[n] nhw'n agor siop newydd yn y dre.

  iv)   Oeddech chi yno? [Oeddwn].

   v)   Rydw i'n ysgrifennu [atoch] chi i ofyn am wybodaeth.

  vi)   Diolch am [eich] llythyr chi.

 vii)   Rydw [i] wedi ysgrifennu ato fe.

viii)   Pwy [sy'n] mynd?

  ix)   Hoffwn i siarad [â] chi.

   x)   Mae'r erthygl yn sôn [am] y bobl yn y ffatri.